alas de papel

Ballena

Título original: *Balena*
Traducción del autor

Primera edición: marzo 2005
Coordinación editorial: Marta Fenollar
Redacción del apartado de conocimientos: Anna Motis

Diseño: Xavier Bas Disseny

Impreso en: Ingoprint, S.A.
Depósito legal: B-5294/05
ISBN: 84-87334-78-4

T.C.F. libre de cloro. Este papel sigue las recomendaciones europeas sobre medio ambiente.

Rayó, Miquel
Ballena / Miquel Rayó; ilustraciones de Mireia Coll, [Traducción de Miquel Rayó; ilustraciones de Àngels Jutglar]. – Bellaterra: Lynx Edicions, 2005.
46 p.: il.col.; 21,5 cm. – (Alas de papel ; 2)
ISBN 84-87334-78-4
1. Ballenas. 2. Relación hombre animal. 3. Amistad.
I. Coll, Mireia, il. II. Rayó, Miquel, trad. III. Jutglar, Àngels il. IV. Título. V. Serie.
I2 RAY

Miquel Rayó

Ballena

Mireia Coll
Ilustraciones

1.

Llamadme Ballena.

Soy muy grande, y mi piel encallecida por el roce de las olas es gris, casi negra; de tanto vivir en el mar y de algún que otro topetazo contra las rocas tiene muchas cicatrices.

Dicen que una abuela mía tenía la piel blanca y que por eso fue muy famosa.

Pero yo creo que eso es un cuento.

Jonás es mi amigo. Es farero.

—¡Hola, Ballena! —saludaba cuando me veía.

Siempre sonreía.

Muchas veces se acercaba hasta las rocas de la orilla para hablar conmigo y fumar una pipa. A ratos, sacaba el humo por la boca y con él hacía anillos en el aire.

A mí me gustaba perseguir esos anillos de humo azulado y trataba de cogerlos antes de que desaparecieran, deshechos por la brisa.

—¡Corre, nada, salta, Ballena! —me decía él.

Y yo nadaba y saltaba; pero no corría.

En el mar no se puede correr, y además las ballenas no tenemos patas para correr. Ni podemos sonreír, aunque estemos contentas, puesto que no tenemos labios para hacerlo.

2.

Jonás hacía un trabajo muy importante.

Vivía en el faro.

Es una vieja torre de piedra situada en un cabo donde muchas veces hay tempestades y vientos terribles.

En lo alto de la torre, el faro tiene como un gran ojo hecho de cristales y espejos. En este ojo, había una lámpara que producía una luz muy pequeña.

—¿Y con esa lucecita ridícula quieres iluminar el mar? —le pregunté el día que nos conocimos.

—¿Qué crees tú? —me respondió—. ¡Mira! ¡Qué rayo de luz!

Me deslumbró.

Y me dio tanto miedo que me sumergí durante un buen rato. Creo que Jonás se rió, cuando me zambullía...

¡Qué susto, una luz tan inmensa en la oscuridad del mar!

—¿Qué creías, Ballena? ¡Ja, ja, ja!

Sí, se rió.

Por eso, a la mañana siguiente, le devolví el susto.

¿Queréis saber cómo?

Cuando él se acercó a las rocas para fumar su pipa, salí del mar de golpe como un pez volador, di un salto descomunal –que por algo soy una ballena, ¿no?–, y al caer al agua de nuevo, lo dejé mojado por completo.

¡Quedó como un pulpo!

—¡Ja, ja, ja! ¿Pues qué pensabas, hombrecito?

Se fue remojado, dejando en el suelo un rastro de gotas que caían de su pipa...

3.

Cada atardecer, Jonás encendía la lámpara, y su lucecita, gracias a los espejos que la hacían crecer, se volvía grande, muy grande.

Llega desde el faro hasta el otro lado del mar.

Yo puedo verla, por muy lejos que esté.

—Mira, Ballena —me explicó una noche, cuando ya había encendido la lámpara—. La luz de mi faro marca caminos seguros para los navegantes. Por eso nunca puedo faltar a mi trabajo.

Porque, es cierto que muchos barcos cruzan el mar durante la noche. Si la luz del faro faltase, se perderían.

Y quizá algunos chocarían contra los escollos y se hundirían, y sus marineros se ahogarían.

—Pero, ¿de día no se pierden? —le pregunté lanzando un resoplido por los agujeros de mi nariz. (¡Atención! Eso es un espectáculo, porque las ballenas tenemos la nariz encima del cráneo, casi en la espalda).

—Tontuela —me dijo—. Mira al cielo. ¿No ves el faro del sol?

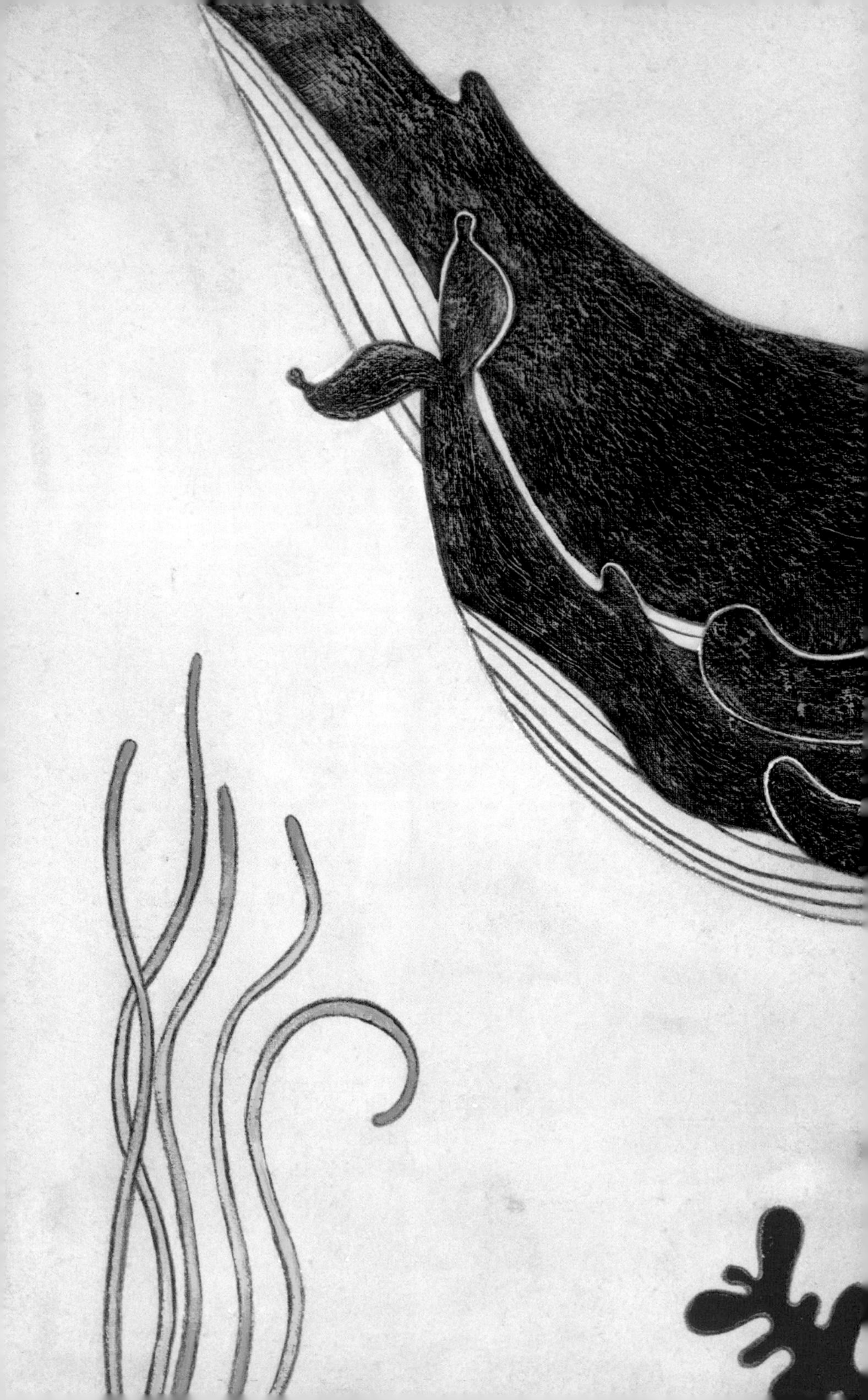

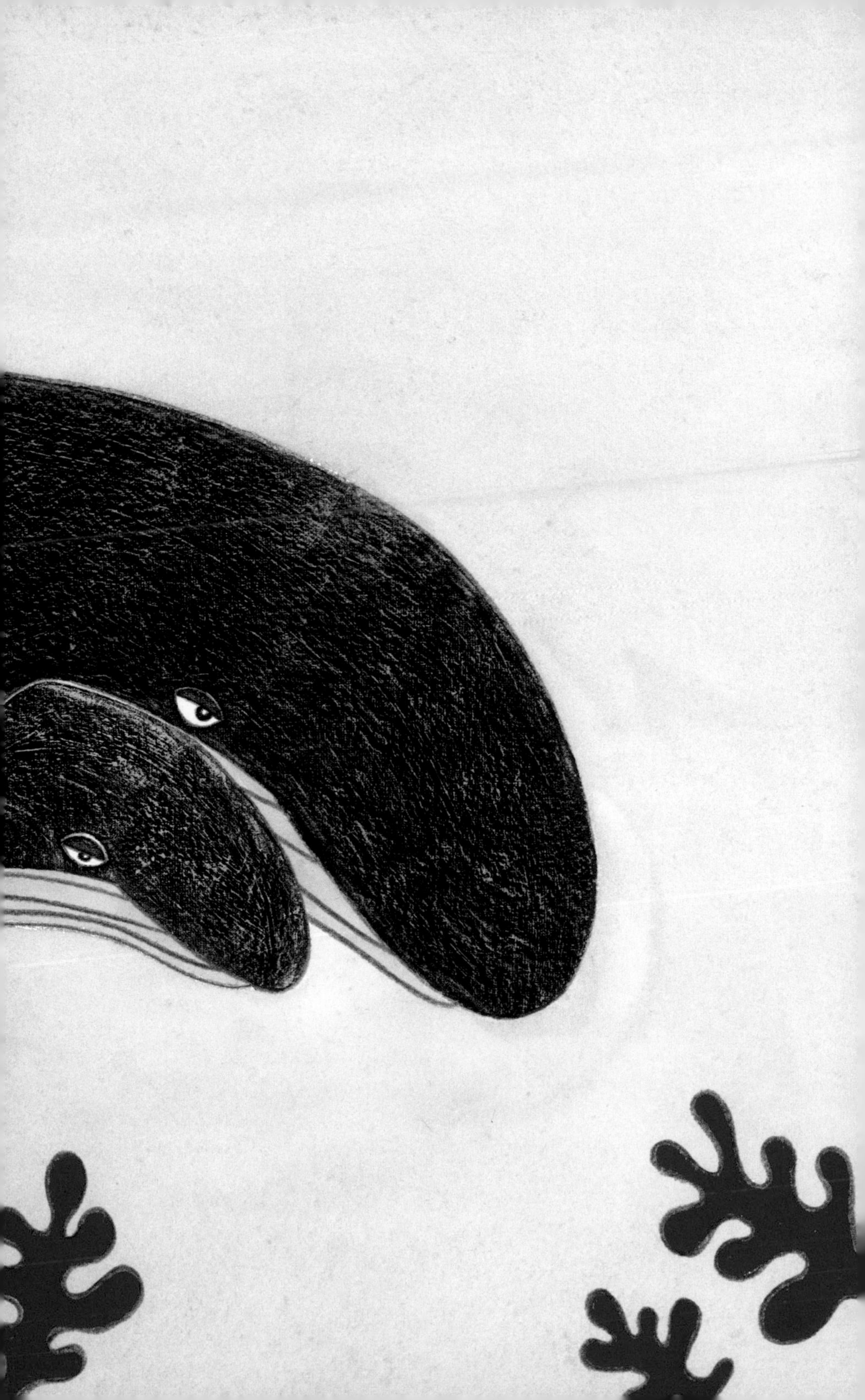

4.

A Jonás le gustan mis silbidos.

Ya sabéis que las ballenas silbamos canciones en el fondo del mar.

Cantamos cuando dos amigas nos encontramos, cuando un macho quiere cortejar a una hembra, cuando ha nacido un ballenato en alguna familia...

—¿Y de qué más, Ballena? —me preguntó una tarde Jonás—. ¿De qué más hablan vuestras canciones?

Hice girar mi cuerpo en el agua. Me muevo a veces muy lentamente.

¡Soy tan grande!

Y empiezo a ser algo vieja, ya...

—Pues, ¿de qué más quieres que hablen, Jonás? —le respondí—. Es suficiente con eso, ¿no?

Pero Jonás es muy listo y ya sabía que a veces cantamos sólo por el placer de oírnos, y entonces nuestras canciones hablan de la espuma de las olas, de los vientos tempestuosos, de montañas sumergidas, de prados de flores marinas y de algas flotantes, de esponjas luminosas y de corales...

5.

Jonás tiene familia.

Su esposa es muy simpática y es rubia, y muy dulce y buena.

Se llama María del Mar –¡qué cosas!–.

Canta muy bien y, cuando las dos lo hacíamos a coro, resultaban unos dúos muy bonitos y divertidos.

—¡Vaya par! —nos decía Jonás riéndose—: ¡Parecéis gaviotas que lloran!

Tienen un hijo.

El hijo de Jonás y de María del Mar se llama Jonás, también, como su padre.

Es muy travieso y preguntón.

A mí me saca de quicio.

Cuando me ve, me llama hasta el borde del mar y me pregunta sin parar:

—Ballena, ¿cómo es el fondo del mar?

—Ballena, ¿las tintoreras comen ballenas?

—Ballena, ¿las pardelas os pican la cola?

—¿Las medusas son de espuma?

—¿Sabes dónde hay cofres de tesoros?

—¿Y esqueletos de piratas?

—¿Hay mares de confitura?

¡Es insoportable...!

Esqueletos de piratas y mares de confitura... ¡Qué tonterías!

Un día me preguntó:

—Ballena, ¿me llevas sobre tu lomo hasta el otro extremo del mar?

—Pero, ¿qué dices, mocoso? —le reñí—. ¿Adónde quieres ir?

—Al mundo grande.

—¿Y dónde cae eso, botarate?

—Anda, no seas mala...

—Los humanos no podéis ir por el mar sobre el lomo de las ballenas.

—¿Por qué?

—Pues, porque... no.

—Pero, ¿por qué no?

6.

Hoy estoy muy triste.

Y ahora sé que a veces –tal vez Jonás ya lo sospechaba, eso– las canciones de las ballenas pueden hablar de tristezas.

Cuando alguna de nosotras se muere y cae hasta el limo del fondo oscuro del océano, cuando la comida es escasa y casi no encontramos suficiente para poder compartirla, cuando las orcas atacan a nuestros jóvenes y los hieren gravemente...

Jonás y María del Mar han dejado el faro.

Y el pequeño Jonás también.

—No estés triste —me ha dicho María del Mar, al despedirse—. Nuestro hijo ha de crecer junto a otros niños, y por eso es necesario que vayamos a vivir tierra adentro donde hay escuelas...

Lo he comprendido.

—Cada noche, mira la luz, Ballena —me ha dicho Jonás muy conmovido—. Seguirá encendida gracias a un mecanismo automático. Mira la luz y recuérdanos.

No sé qué es "un mecanismo automático". Pero, si enciende la luz del faro, me gusta.

7.

El pequeño Jonás me tiraba hoy piedrecitas –¡el muy descarado!– desde la orilla.

—Cuando vuelva del mundo grande —me ha dicho—, te diré cómo son las cosas que hay allí. Puede que te traiga algún regalo. ¿Qué quieres?

Me hubiera gustado poder sonreír en ese momento.

Pero sólo sé silbar y saltar en el aire, desde el agua, y nadar haciendo cabriolas. Y por eso he saltado y he nadado...

Y cuando ya se iban y me daban el último adiós, he silbado y cantado con fuerza.

Ahora sé que nuestras canciones pueden hablar de la nostalgia por los amigos que se han ido, y por los niños que preguntan impertinencias y lanzan piedrecitas desde la orilla a las ballenas viejas.

—¿Los peces hablan? —me ha preguntado el pequeño Jonás hasta el último momento, cuando ya se iban definitivamente.

—¿Quién peina a las algas?

—¿Hasta dónde llega el mar?

—¿Son de oro los picos de las gaviotas?

Y aún he podido escucharlo, ya desde muy lejos, en el camino hacia tierra adentro, cuando me decía entre sollozos:

—¡No te las tiraba para hacerte daño, las piedras, Ballena! ¡De verdad!

Y yo pienso que quizá me las tiraba para no dejar caer al mar, delante de mí, sus preciosas lágrimas de despedida.

¡QUIERO SABER MÁS...

DE LAS BALLENAS!

Si vas en barco y tienes la suerte de ver una ballena, es muy posible que sea un Rorcual Común, como la protagonista de nuestro cuento.

¿TE HAN CONTADO ALGUNA VEZ QUE...

...EL RORCUAL COMÚN ES MUY GRANDE?

De hecho, después de la Ballena Azul, es la ballena más grande del planeta. Puede alcanzar los 25 metros de largo y pesar 70 toneladas. ¡Su corazón puede pesar tanto como un coche!

A pesar de ser tan grande, es la ballena más rápida de todas (¡puede nadar a 37 km/h!), y también se sumerge a más profundidad que ninguna otra. El Rorcual Común vive en todos los mares y océanos y es la ballena más frecuente en las aguas del Mar Mediterráneo.

EL RORCUAL COMÚN ES MUY ESPECIAL...

¿QUIERES SABER POR QUÉ?

Pues porque es la única ballena que tiene una coloración asimétrica. Es decir, el lado izquierdo de su cabeza es oscuro tanto por arriba como por abajo, mientras que el lado derecho es blanco por abajo. Algunos científicos creen que es debido a la costumbre que tienen de nadar de costado, aunque, si las observamos bien, veremos que nadan tanto de un lado como del otro. De momento, es un misterio sin resolver...

¿SABÍAS QUE LAS BALLENAS NO SON PECES?

Las ballenas y los delfines son mamíferos como nosotros. Pertenecen al orden de los cetáceos. Para poder nadar mejor, sus patas se han transformado en aletas, su cola es grande y plana como un timón, y su cuerpo es muy liso y sin pelo. Pero, como todos los mamíferos, necesitan respirar oxígeno, y las madres amamantan a sus crías.

Los ballenatos del Rorcual Común miden 6 metros de largo cuando nacen y ¡tardan 13 años en ser tan grandes como sus padres!

SI HAS LEÍDO EL CUENTO ATENTAMENTE, SABRÁS QUE LAS BALLENAS SABEN CANTAR...

Las ballenas emiten unos sonidos melodiosos que se transmiten a través del agua del mar a muchos kilómetros de distancia. Es la manera que tienen de comunicarse entre ellas. Los investigadores han descubierto que cada ballena se puede reconocer por su forma de cantar, pero aún no saben interpretar lo que se dicen las unas a las otras. ¡Es otro misterio por descubrir!

¿SABES QUÉ COMEN LAS BALLENAS?

Las ballenas no tienen dientes, sino una especie de barbas, que son como unas cortinas duras y largas. Las barbas les sirven para filtrar el agua marina. Aunque también comen peces, lo que más les gusta es una especie de sopa de gambas diminutas que se llama "krill". Pero como no siempre encuentran "krill", pueden pasar meses sin comer apenas nada. Durante el invierno, el Rorcual Común no come demasiado, y vive de aprovechar la grasa que ha acumulado en su cuerpo a lo largo del verano.

ADEMÁS ¡SON VIAJERAS INCANSABLES!

Las ballenas, al igual que muchos pájaros, hacen migraciones. Por ejemplo, los Rorcuales Comunes que viven en el Mediterráneo, en invierno están en las costas de África, donde nacen los ballenatos. Cuando llega la primavera, viajan hacia el norte, donde en verano hay mucha comida. Al llegar el otoño, vuelven a bajar hacia el sur.

¡LAS BALLENAS ESTÁN EN PELIGRO!

Por desgracia, cada día hay menos ballenas. Los cazadores las han capturado durante mucho tiempo para aprovechar su carne y también para fabricar cosméticos con su grasa. Pero te alegrará saber que ahora están protegidas y que cada vez se intenta controlar mejor su caza. Hay diversas organizaciones que se ocupan de su conservación, y lo que es más importante: ¡tú puedes colaborar!

abc

Amamantan: Dan de mamar, alimentan con leche materna las madres a sus crías.

Ballenatos: Crías de las ballenas.

Botarate: Persona poco sensata.

Cabo: Trozo de tierra que se mete en el mar.

Descomunal: Enorme, extraordinario, fuera de lo común.

Encallecida: Endurecida, insensible.

Escollos: Rocas muy cercanas a la superficie del mar, muy peligrosas para los barcos porque apenas se ven y pueden producir accidentes.

Impertinencias: Comentarios o actos descarados que pueden molestar.

Mamíferos: Animales que dan de mamar a sus crías.

Migraciones: Movimientos que hacen algunos grupos de personas o animales en busca de comida, un clima mejor, un buen lugar para criar, etc.

Nostalgia: Sentimiento de pena o de dolor que se tiene cuando se está lejos de una persona, cosa o sitio amado.

Océanos: Cada una de las cinco grandes partes en que se divide el agua de mar que cubre la Tierra.

Oxígeno: Gas que está en el aire y que necesitamos para respirar.

Pardelas: Pájaros parecidos a las gaviotas que hacen su nido en las rocas que hay en la orilla del mar y se alimentan de peces.

Sacar de quicio: Enfadar mucho a alguien, hacerle perder los nervios.

Tintoreras: Peces muy voraces de la familia de los tiburones con la piel muy lisa, de color azul oscuro en el dorso y blanco en el vientre.

Topetazo: Choque de una cosa contra otra.

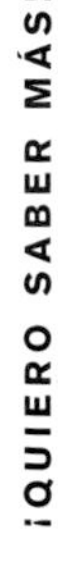

Miquel Rayó

Nació en Palma de Mallorca en 1952. Es profesor de secundaria y actualmente trabaja en el Programa de Orientación y Transición a la Universidad, de la Universidad de les Illes Balears. Ha recibido diversos premios literarios y ha publicado más de una veintena de cuentos infantiles y juveniles. Ha escrito también libros relacionados con la ornitología de campo, la conservación de la naturaleza, la militancia ecologista y la cultura popular, así como guías de turismo de las Islas Baleares. Fue también miembro del equipo redactor de la *Estrategia Balear de Educación Ambiental*, documento preparado por la Consejería de Medio Ambiente del Gobierno de las Islas Baleares en 2003.

Mireia Coll

Nació en Palma de Mallorca en 1969. Es licenciada en Psicología Clínica por la Universitat de Barcelona y ha trabajado como terapeuta familiar y como ilustradora. Después de trabajar durante años en el ámbito de la salud mental, se formó como dibujante en la especialidad de ilustración en el Centre de Formació Permanent de la Diputació de Barcelona (Escola Professional de la Dona). Ha empezado a dedicarse de lleno a esta profesión a raíz de su reciente doble maternidad.